Un agradecimiento especial a Allan Frewin

A Harvey

DESTINO INFANTIL Y JUVENIL, 2011
infoinfantilyjuvenil@planeta.es
www.planetalibrosinfantilyjuvenil..com
Editado por Editorial Planeta, S. A.

© de la traducción: Macarena Salas, 2010

Título original: *Trillion, the Three-Headed Lion*

© del texto: Working Partners Limited 2008
© de la ilustración de cubierta: David Wyatt 2008
© de las ilustraciones interiores: Orchard Books 2008
© Editorial Planeta S. A., 2011
Avda. Diagonal, 662-664, 08034 Barcelona
Primera edición: febrero de 2011
ISBN: 978-84-08-10007-5
Depósito legal: M. 530-2011
Impreso por Brosmac, S. L.
Impreso en España – Printed in Spain

El papel utilizado para la impresión de este libro es cien por cien libre
de cloro y está calificado como **papel ecológico**.

TRILLÓN EL LEÓN DE TRES CABEZAS

ADAM BLADE

DESTINO

¿Acaso pensabas que se había acabado?

¿Creías que iba a aceptar la derrota y desaparecer?

¡Ni hablar! Eso no sucederá jamás. Yo soy Malvel, el Brujo Oscuro que infunde el terror en los corazones de los habitantes de Avantia. Todavía tengo mucho que demostrar a este miserable reino y sobre todo a un niño en particular, Tom.

El joven héroe liberó a las seis Fieras de Avantia a las que yo había sometido a un maleficio. Pero esta batalla no ha llegado a su fin, ni mucho menos. Veamos cómo se las arregla con esta nueva Búsqueda, en la que seguramente acabará aniquilado junto con su compañera Elena.

Las Fieras de Avantia eran buenas, pero yo las corrompí para mis propios fines. Ahora, por culpa de Tom, vuelven a ser libres y protegen el reino de nuevo. Esta vez he creado seis nuevas Fieras, magistrales, cuyos corazones son despiadados y a las que no se puede liberar: el Calamar monstruoso, el Simio gigante, la Encantadora de piedras, el Hombre serpiente, el Rey de las arañas y el León de tres cabezas. Cada una de ellas guarda un trozo de la reliquia más valiosa de Avantia, una reliquia que yo he robado: la armadura dorada que le da poderes mágicos a su legítimo dueño. Nada me detendrá. No pienso permitir que Tom recupere la armadura completa y me vuelva a vencer. ¡Esta vez no lo conseguirá!

Malvel

PRÓLOGO

El sol se estaba poniendo sobre las llanuras centrales de Avantia. *Tagus*, el Hombre caballo, una Fiera buena y protectora de la tierra, asentía orgulloso ante la vista. Todo estaba en paz desde que Tom lo había liberado del perverso maleficio de Malvel, el Brujo Oscuro.

Era el momento de descansar. *Tagus* pisó con determinación y se giró para observar el ganado desde la distancia. De pronto, una extraña figura apareció en un saliente rocoso a lo lejos, en el horizonte, con el sol a su espalda. Era una especie de animal inmenso que estaba observando el ganado.

¡Un depredador!

Tagus trotó hacia allí preocupado, escondiéndose entre las rocas y los árboles mientras se acercaba a la criatura. Pronto estuvo lo suficientemente cerca para verlo con claridad.

Era un león inmenso de tres cabezas. La luz del sol se reflejaba en su dorado pelaje y en las melenas alborotadas que colgaban de sus tres cabezas. Sus seis ojos emitían un malévolo brillo de color esmeralda mientras observaba el ganado. Tenía los labios retraídos y mostraba unos dientes peligrosos.

Tagus supo inmediatamente que se trataba de una Fiera malvada enviada por Malvel para provocar el caos. Su instinto le decía que debía enfrentarse al león y hacer todo cuanto pudiera para destruirlo. Observó sus inmensas garras, cada una del tamaño de su propia cabeza, que terminaban en unas uñas largas y afiladas. Entonces, con un grito feroz, salió galopando de su escondite y sacó la espada en dirección al león.

Las tres cabezas se giraron y sus tres bocas rugieron de rabia y de odio. El león saltó desde su posición en la roca y se lanzó contra *Tagus,* cubriendo todo el cielo. La espada se le cayó de la mano al Hombre caballo y las dos poderosas Fieras salieron rodando por el suelo.

Tagus se intentó defender, dando coces con sus cascos y agarrando al león por una de sus tres gargantas. Pero las otras dos cabezas se lanzaron a morderle y podía oler el aliento pútrido de la Fiera mientras las tres amenazadoras mandíbulas intentaban arrancarle la carne de los huesos.

El Hombre caballo le pegó dos fuertes coces con sus patas traseras y el león salió por los aires. Jadeando, *Tagus* se puso en pie, pero la malvada Fiera volvió a atacar, abriendo sus fauces y tirándolo al suelo con todo su peso. *Tagus* nunca se había enfrentado a un ser tan fiero y tan fuerte. Tenía grandes heridas en los flancos y en el cuello, y sentía la muerte cerca. El león lo inmovilizó, arqueó el lomo mientras echaba hacia atrás las tres cabezas, y lanzó un rugido ensordecedor de triunfo.

Tagus luchó con valentía, pero estaba demasiado débil como para liberarse. Las cabezas se agacharon hacia él, con las mandíbulas abiertas y listas para hincarle los dientes en la carne.

De pronto, una flecha apareció de la nada y su afilada punta se clavó profundamente en una de las patas del león.

El monstruo lanzó un rugido de rabia

y dio un salto hacia atrás, con todo el cuerpo temblando de ira. *Tagus* intentó levantarse, pero estaba gravemente herido.

Mientras el león se arrancaba la flecha con una de sus cabezas, las otras dos se giraron, con los ojos encendidos de ira, en búsqueda del arquero. Una segunda flecha cruzó el aire y casi le da en otra de las cabezas. Con un rugido ensorde-

cedor, el león huyó corriendo, dando saltos hacia las llanuras oscuras.

Aliviado, *Tagus* miró hacia arriba.

En el horizonte, vio dos siluetas que le resultaban familiares: un chico que llevaba una armadura dorada que brillaba bajo la luz del sol poniente y una chica que apuntaba con otra flecha en su arco. Detrás de ellos, en el saliente rocoso, había un caballo y un lobo.

CAPÍTULO UNO

LA FIERA HERIDA

—¡*Tagus* está herido! —gritó Tom, acercándose rápidamente a lomos de su caballo—. ¡Arre, *Tormenta*!

Elena se subió detrás de Tom. El caballo negro relinchó y se levantó sobre sus patas traseras, agitando los cascos en el aire, antes de salir a galope tendido. Tom y Elena se agarraron con fuerza a su espalda mientras el leal lobo corría detrás de ellos.

Bajaron de la zona rocosa y avanzaron rápidamente por las llanuras hasta donde *Tagus* estaba herido. El Hombre caballo seguía intentando ponerse en pie, pero la lucha con el león monstruoso de tres cabezas lo había dejado muy débil y sin fuerzas.

Tom miró en la distancia; la malvada Fiera había huido sin dejar rastro. Ya tendrían tiempo para enfrentarse al monstruo de Malvel más adelante. En ese momento tenían que ayudar a *Tagus*.

—¡Si no fuera por tus flechas, ese león podría haber matado a *Tagus*! —le gritó Tom a Elena mientras galopaban.

—Seguro que es una de las Fieras malvadas de Malvel —contestó Elena, con un tono de preocupación en la voz—. ¿Crees que es el guardián de los escarpes dorados?

—Es muy probable —dijo Tom—. Éste es el último reto de Malvel y, cuando lo superemos, tendremos todas las piezas de la armadura desaparecida.

El Brujo Oscuro había robado la dorada armadura mágica, la reliquia más preciada del reino, y había esparcido sus piezas por toda Avantia, cada una al cuidado de una Fiera asesina que trabajaba para él. De momento, Tom había vencido a cinco de las Fieras y había recuperado el yelmo, la cota de malla, el peto, los guanteletes y la pernera. Cada pieza le había dado nuevos poderes. Ahora sólo le faltaba recuperar los escarpes.

Pero Malvel había reservado su Fiera más temible para el final. Si aquella criatura inmensa y salvaje había vencido a *Tagus*, ¿cómo iban a enfrentarse ellos a un monstruo así, por mucha ayuda que les dieran el escudo mágico y las piezas de la armadura dorada que habían recuperado?

Tom apretó los dientes. Pasara lo que pasara, encontraría a la Fiera malvada y lucharía contra ella. Toda Avantia dependía de él.

Llegaron al lugar donde estaba tumbado *Tagus*. El olor pútrido y apestoso del León de tres cabezas llenaba el aire. Los dos amigos bajaron del lomo de *Tormenta* y corrieron hacia *Tagus*. Sus heridas eran profundas y sangraban, mostrando las marcas de las garras asesinas y los colmillos afilados del león.

—¡Con cuidado! —le dijo Tom a *Tagus* mientras éste intentaba ponerse en pie—. ¡Te ayudaremos! Despacio, ahora.

La Fiera no podía entender el lenguaje humano, pero *Tagus* sabía que se habían acercado para ayudarlo.

Tom y Elena ayudaron como pudieron a que el Hombre caballo se incorporara. *Tormenta* se acercó, relinchando suavemente y moviendo la cabeza para que *Tagus* se apoyara en él y se levantara.

Por fin, el Hombre caballo consiguió incorporarse. Puso un brazo alrededor del cuello de *Tormenta* y el caballo se acercó más para que no se cayera. *Plata* estaba cerca, con la mirada atenta por si se presentaba algún nuevo peligro.

—Necesita descansar y recuperarse —dijo Elena—, pero no va a poder llegar muy lejos. —Miró a Tom—. ¿Qué podemos hacer?

Tom señaló hacia el saliente rocoso. La pared de la roca se metía hacia adentro, formando un refugio natural.

—Si conseguimos llevarlo hasta allí, estará escondido y protegido mientras nos encargamos del león —dijo Tom. Se volvió hacia el Hombre caballo—. Ven con nosotros —dijo, señalando el saliente—. Allí estarás a salvo.

Tagus asintió, con la cara retorcida del dolor. Lentamente y con *Tormenta* a su lado, empezó a avanzar cojeando.

Tom y Elena iban al otro lado, listos para ayudarlo si le fallaban las fuerzas.

—Está muy malherido —dijo Elena en voz baja—. No va a poder ayudarnos a luchar con el león.

Tom asintió con tristeza. En su Búsqueda de la armadura dorada, habían

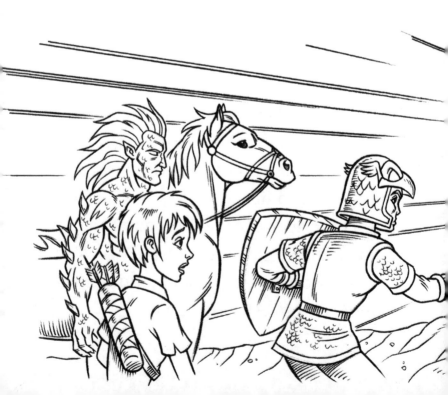

recurrido a la ayuda de las Fieras buenas de Avantia, pero parecía que esta última misión la iban a tener que completar ellos solos.

Entonces el sonido de una risa cruel resonó en las llanuras.

—¡Malvel! —exclamó Tom, cerrando la mano en la empuñadura de su espada.

Un remolino oscuro apareció en el

cielo. Cuando se aclaró, tenían al Brujo Oscuro delante de ellos, con los ojos echando chispas.

Tom desenvainó la espada.

—Ni lo intentes —se burló Malvel—. ¡Sabes que no puedes hacerme ningún daño! —Se volvió a reír y estiró un bra-

zo hacia ellos, con sus largos y delgados dedos como si fueran garras—. Os ha caído una maldición. ¡Vuestra Búsqueda ha llegado a su fin! *Tagus* morirá y vosotros caeréis bajo el poder de *Trillón*, la Fiera más salvaje y asesina que jamás hayáis visto.

—¡No te tenemos miedo ni a ti ni a tus Fieras! —gritó Elena—. ¡Tú eres el que debería estar asustado!

—¿Yo? —se rió Malvel—. ¿Asustado de vosotros? No, niña, no me dais ningún miedo. Sin embargo el miedo viene galopando hacia vosotros, ¿es que no lo oís? Se acerca a toda velocidad sobre sus cuatro poderosas patas. Escuchad con atención.

—¡Eres un cobarde! —gritó Tom.

La cara de Malvel se retorció de rabia.

—Mira, niño, te voy a aclarar algo —espetó—. Te aseguro que si osas enfrentarte a *Trillón*, sufrirás un gran dolor y serás destruido. ¡Es mucho más peligroso de lo que te puedas imaginar! —Le brillaron los ojos—. Y cuando estés agonizando, allí estaré yo y mi cara será lo último que veas.

De pronto el remolino oscuro desapareció, mientras en el cielo retumbaba aún el horrible sonido de la risa del brujo.

Malvel se había ido.

Tom se dirigió a Elena.

—Esta vez Aduro no estaba con él —dijo.

En otras ocasiones Malvel les había mostrado unas imágenes horribles de su amigo y asesor, el buen brujo Aduro, atado e indefenso sobre un pozo de brea ardiendo. Tom sabía que la única manera de salvar a Aduro era recuperar todas las piezas de la armadura dorada y terminar su Búsqueda.

—¿Qué querrá decir eso? —preguntó

Elena—. ¿Le habrá hecho Malvel algo horrible?

—No lo sé —contestó Tom con tono de determinación en la voz—. Pero cuando esta Búsqueda termine, pienso hacerle pagar por todas sus maldades.

Miró hacia las llanuras. Allí, en algún lugar, estaba *Trillón*, protegiendo los escarpes. Tom levantó la espada hacia el cielo.

—¡Cueste lo que cueste! —gritó—. ¡Te encontraré, *Trillón*! ¡Completaré mi Búsqueda!

CAPÍTULO DOS

¡ATAQUE SALVAJE!

Tagus soltó un gemido. Se tumbó en el suelo, debajo del saliente rocoso, moviendo su gran pecho con dificultad. Le salía un reguero de sangre por la comisura de los labios.

—Creo que de verdad se está muriendo —susurró Elena—. Tom, ¿qué podemos hacer?

—Tengo una idea —dijo Tom. Se quitó el escudo de la espalda. En él estaban incrustados los seis amuletos mágicos de su primera Búsqueda.

—El espolón de *Epos*, el Pájaro en llamas, cura las heridas —le recordó a Elena mientras sacaba el espolón del escudo—. Debería ayudar.

Se arrodilló al lado de *Tagus* y pasó el espolón por sus profundos cortes. De pronto, una oleada de energía le llenó la mano, le pasó por el brazo, haciendo que sintiera un cosquilleo en la piel, y el espolón empezó a brillar con un color rojo.

—¡Funciona! —exclamó Elena.

—Creo que sí —asintió Tom con una sonrisa. Apartó el espolón. Las heridas se habían cerrado y apenas quedaba cicatriz—. Pero tiene tantas heridas —murmuró—. Me pregunto si el amuleto tendrá suficiente poder como para curarlas todas.

Puso el espolón encima de otro corte.

Una vez más sintió el cosquilleo y una vez más apareció el brillo rojo. Se llenó de esperanza, ¡pronto *Tagus* volvería a estar bien!

Sin embargo, cuando intentó curar la tercera herida, el cosquilleo se había debilitado mucho y apenas brillaba. Tom apartó el espolón. La herida se había cerrado, pero no estaba curada por completo.

Tom pasó el espolón por otra herida. La luz del espolón brilló durante un momento, pero después se apagó.

—¿Por qué no funciona? —preguntó Elena.

—Creo que necesita tiempo para recargar energías —dijo Tom. La miró con ansiedad—. Por lo menos eso espero. —Frunció el ceño—. Pero a lo mejor tarda horas o incluso días en recargarse y no tenemos tanto tiempo. —Se levantó, sujetando con fuerza el espolón—.

Ahora tenemos que encargarnos de *Trillón* —dijo—. No podemos permitir que esa Fiera despiadada ande por ahí suelta.

Tom señaló la cima de la roca que los protegía.

—Ése es un buen lugar de observación —dijo—. Si *Trillón* está cerca, debería poder verlo.

—Voy contigo —dijo Elena—. *Tormenta* y *Plata* se pueden quedar con *Tagus*.

Tom asintió. Él y Elena se despidieron rápidamente de sus dos compañeros y empezaron a subir la empinada cuesta hacia el saliente.

El sol casi se había puesto cuando llegaron a la parte más alta de la roca. Tom bajó la visera de su yelmo dorado, que le dotaba de una visión extraordinaria.

Ahora Tom podía ver al león de tres cabezas claramente, como si la Fiera estuviera a tan sólo una espada de distancia.

Trillón estaba provocando el terror en una manada de cabras salvajes, saltando sobre las aterrorizadas criaturas que salían huyendo despavoridas. El león les lanzaba mordiscos a los pobres animales y después salía corriendo.

—¡Está jugando con ellas! —dijo Tom enfurecido; su corazón latía con fuerza—. ¡Vayamos a detener este juego de una vez por todas!

Pero Elena le tiró del brazo.

—¡Mira!

Tom siguió la línea de sus ojos. Un círculo de pequeñas figuras oscuras se movía de forma amenazante en dirección hacia donde estaban ellos.

—¡Son hienas! —exclamó. Debía de haber unas veinte o treinta, acercándose a *Tagus*, a *Tormenta* y a *Plata*, con un brillo de hambre en los ojos.

—Deben de haber olido la sangre de *Tagus* —dijo Tom.

—¿Crees que *Tormenta* y *Plata* podrán con ellas? —preguntó Elena ansiosamente.

—Me temo que no —dijo Tom—. Son demasiadas. Tenemos que bajar a ayudarlos.

Una de las hienas soltó un chillido paralizador y entonces toda la manada salió corriendo, rugiendo y aullando a medida que se acercaban a la indefensa Fiera y a los dos animales que la protegían.

CAPÍTULO TRES

VALOR Y FUERZA

—¡Ya vienen! —gritó Tom mientras él y Elena bajaban a toda velocidad por las rocas.

Las hienas se acercaban rápidamente y sus horribles aullidos resonaban en las llanuras.

—He dejado mi arco y mis flechas allí abajo —gritó Elena.

Tom sacó el escudo.

—Usa esto para defenderte hasta que llegues allí.

—Pero tú lo necesitas —exclamó Elena.

—Tengo otra protección —contestó Tom, presionando la mano contra la cota de malla y el peto brillante. En el momento en que su mano tocó la armadura dorada, sintió que la magia empezaba a funcionar. La cota de malla lo armó de un gran valor. Al mismo tiempo, notó que la energía que emanaba del peto mágico le llegaba a todos los músculos.

Ahora no sentía nada de miedo. Podía enfrentarse a mil hienas juntas. Le puso el escudo a Elena en las manos y saltó de las rocas con un grito y blandiendo la espada en la mano.

Aterrizó entre las hienas, con el filo de la espada cortando el aire y el otro brazo levantado para protegerse de los dientes afilados y las mandíbulas amenazantes. Algunas hienas cayeron al suelo y otras retrocedieron, rodeándolo, observándolo intensamente, pero manteniéndose alejadas del alcance de la espada.

Tom vio que Elena bajaba de un salto

de la roca, con el escudo por delante. Una hiena la atacó, pero ella le dio con el escudo y la hizo salir rodando.

—¡No podréis conmigo! —gritó Elena a los animales rabiosos. Otra hiena se lanzó hacia ella, pero Elena se apartó justo a tiempo y le pegó una patada al animal cuando éste pasaba por su lado.

Plata y *Tormenta* también luchaban con fuerza, intentando mantener a las hienas lejos de *Tagus*. *Tormenta* se levantaba sobre las patas traseras y les daba coces a las hienas, mandándolas volando por los aires. El Hombre caballo intentaba ponerse en pie, pero Tom sabía que estaba demasiado débil por la pérdida de sangre y no podía hacer nada para ayudar.

Plata estaba en el suelo, luchando salvajemente contra dos hienas. Durante un momento de peligro, una de ellas consiguió clavarle los dientes en el cue-

llo, pero *Plata* se retorció, se puso en pie y se la quitó de encima.

Tom corrió hacia adelante blandiendo la espada.

—¡*Tormenta*! ¡Ven! —gritó.

El noble caballo relinchó muy fuerte al oír su voz y salió disparado hacia él entre la masa de hienas, haciendo resonar sus cascos.

Tom se subió a la silla, agarró las riendas y dirigió a *Tormenta* hacia donde estaban el lobo y el Hombre caballo. El filo de su espada se movía hacia los lados y los escarpes dorados mejoraban sus destrezas de espadachín. Las hienas se retiraron cobardemente, enseñando los dientes y gruñendo mientras Tom llegaba hasta *Plata*. Un momento más tarde, Elena estaba a su lado y la cuerda de su arco temblaba mientras disparaba una flecha tras otra a la manada.

—¡Largo de aquí! —gritó Tom.

Se oyó un largo aullido de derrota. Las hienas retrocedieron, dieron media vuelta y se alejaron. Lleno de alegría, Tom le clavó los talones en los costados a *Tormenta*, haciendo que el caballo saliera galopando detrás de ellas. No pensaba dejar que se volvieran a agrupar y atacaran de nuevo. ¡Las perseguiría para que no se les ocurriera volver nunca más!

—¡Ten cuidado, Tom! —gritó Elena.

Pero Tom no sentía ningún miedo al galopar por las llanuras.

De pronto se oyó un aullido desde una de las rocas que había a un lado. Giró la cabeza y vio una inmensa hiena que estaba encima de él. Después oyó otro aullido desde el otro lado. Volvió a girar la cabeza y vio la silueta de más hienas.

¡Habían llegado dos nuevas jaurías!

Tormenta relinchaba nervioso, moviéndose inquieto a medida que las hienas se acercaban. Empezaron a aullar y a gruñir de nuevo y esta vez en sus miradas había más que hambre.

Tom levantó la espada y las hienas atacaron.

CAPÍTULO CUATRO

EL ESPOLÓN
DE *EPOS*

Se oyó un rugido bajo la luz del ano-
checer, era un rugido tan fuerte que
hizo temblar el aire. Los agudos chilli-
dos de las hienas se silenciaron.

Tom se volvió en la montura.

¡*Tagus* iba en su dirección! ¡El Hombre
caballo acudía a salvarlo!

La buena Fiera estaba cubierta de sangre y tenía el pecho lleno de heridas
profundas, pero allí estaba, una vez más

majestuosa y erguida, con la cabeza bien alta, haciendo resonar sus cascos y asiendo la espada en su puño.

Unas cuantas hienas se lanzaron hacia el Hombre caballo, pero éste movió la espada en el aire como si fuera una guadaña y arremetió contra la jauría, haciendo que se dispersara.

—¡*Tagus*! —gritó Tom lleno de alegría mientras blandía su propia espada.

Las hienas emprendieron su huida, corriendo hacia el débil resplandor.

Tom galopó hasta el Hombre caballo.

—Has llegado justo a tiempo —dijo, esperando que la Fiera entendiera lo que le estaba diciendo.

Tagus asintió con su enorme cabeza. Tenía un brillo de orgullo en los ojos, pero jadeaba y con el esfuerzo se le habían vuelto a abrir las heridas y sangraba de nuevo.

Mientras Elena y *Plata* se acercaban, *Tagus* se tambaleó, doblando las patas. Tom soltó un grito de preocupación cuando la buena Fiera se vino abajo.

—Ha hecho un esfuerzo demasiado grande —dijo Elena, descansando la mano suavemente sobre el cuello de *Tagus*.

—Ha utilizado todas las fuerzas que le quedaban para ayudarnos —dijo Tom ansiosamente, bajándose de la montura y corriendo hasta la Fiera—. Elena, pásame el escudo, por favor. A lo mejor el espolón de *Epos* ya funciona otra vez.

Tagus se quedó inmóvil, respirando con dificultad, con los ojos medio cerrados mientras Tom le ponía el espolón encima de sus heridas más grandes. El cosquilleo le recorrió el brazo y el amuleto volvió a adquirir un brillo rojo.

—¡Funciona! —gritó Tom aliviado.

Mientras Tom se concentraba en curar la siguiente herida, Elena recogió algo de musgo para cubrir las heridas de *Tagus* y limpiar la sangre. *Tormenta* relinchaba suavemente, acariciando con su hocico aterciopelado la cara del Hombre caballo para reconfortarlo. Incluso *Plata* se acercó y se acurrucó al lado de la Fiera para mantenerla caliente mientras se adentraba la noche.

—¿Durante cuánto tiempo va a funcionar el espolón? —preguntó Elena.

Tom la miró.

—Espero que lo suficiente como para evitar que *Tagus* se muera —dijo Tom. Había conseguido curar algunas heridas, pero todavía le quedaban muchas.

—El espolón sólo tiene poderes para curar unas cuantas heridas cada vez —señaló Elena—. Vamos a tardar toda la noche.

—Pues tardaremos toda la noche —dijo Tom firmemente—. No pienso dejarlo así, sobre todo después de lo que ha hecho por nosotros. Además, creo que deberíamos descansar después de la lucha con las hienas. Necesitamos todo nuestro valor y nuestra fuerza para enfrentarnos a *Trillón*.

Se oyó un rugido en la distancia. Tom miró hacia arriba. El León de tres cabezas se encontraba sobre la cima de una colina y su silueta se dibujaba en la luna que estaba ascendiendo.

—¿Por qué no nos ataca? —preguntó Elena.

—Está intentando atraernos hacia la oscuridad —dijo Tom entrecerrando los ojos—. Probablemente nos ha tendido una trampa.

En ese momento, *Trillón* saltó de la cima y desapareció en la noche.

Elena se quedó mirándolo.

—Por la mañana puede que ya esté muy lejos de aquí —señaló—. ¡Podríamos perderlo!

—Eso no sucederá —afirmó Tom—. El mapa encantado de Aduro nos guiará. —Sacó el pergamino enrollado de las alforjas de *Tormenta* y lo abrió.

A Tom le habían entregado el mapa mágico de Avantia al principio de su Búsqueda. Cuando estaba enrollado, parecía un mapa cualquiera, pero al abrirlo sucedía algo extraordinario: cobraba vida y se convertía en una pequeña versión del reino. El mapa siempre les había mostrado el camino a la siguiente Fiera.

Tom y Elena se quedaron mirando el mapa y esperaron, pero no había señal de *Trillón* en las llanuras en miniatura del pergamino.

—¿Cómo vamos a enfrentarnos a la Fiera si no la podemos encontrar? —preguntó Elena.

—No lo sé —dijo Tom—. Pero tiene que haber alguna manera.

Justo entonces, *Plata* se puso en pie y empezó a ladrar. Se alejó trotando, con la nariz pegada al suelo. Después se dio la vuelta y volvió hacia Tom y Elena, ladrando otra vez y dándole con su cabeza gris a Tom en el brazo. La luz de la luna reflejaba el brillo de ansiedad en sus ojos.

—¿Qué te pasa, muchacho? —preguntó Tom.

Plata volvió a olfatear y dio con la pata en el suelo, mirando a Tom y a Elena y después observando a la distancia.

Una sonrisa se dibujó en la cara de Elena.

—Nos está diciendo que no necesitamos el mapa —dijo—. Con su olfato nos llevará hasta donde esté *Trillón*. —Le sonrió a Tom—. ¡Un lobo no sólo sirve para la lucha!

—¡Buen trabajo, *Plata*! —dijo Tom—. Nos quedaremos aquí con *Tagus* esta noche y mañana a primera hora nos llevarás hasta *Trillón*. —Acarició el grueso pelaje del lobo—. ¡Pienso vencerle y entonces la armadura dorada estará completa!

CAPÍTULO CINCO

CAZADOR Y PRESA

A la mañana siguiente, el sol se acababa de asomar por las llanuras cuando *Plata* saltó de una roca y empezó a olisquear el aire. Soltó un gruñido y se alejó dando saltos. Tom y Elena se despidieron rápidamente de *Tagus*. Después, Tom se subió a la montura de *Tormenta* y ayudó a Elena a montar detrás de él.

Tormenta salió detrás del lobo, con Tom y Elena en su lomo.

—Por la manera como se comporta

Plata creo que *Trillón* no debe de estar muy lejos —dijo Elena mientras galopaban por las llanuras.

—No anda lejos —dijo Tom—. ¿No lo hueles? —El olor rancio de la Fiera de tres cabezas llenaba el aire. Después el viento cambió de dirección y Tom ya no lo pudo oler, pero el agudo olfato del lobo no los defraudó. Con el morro pegado al suelo y moviendo la cola en alto, los llevó hacia una cresta rocosa que se veía en la distancia.

Al acercarse a la cima, *Plata* se detuvo.

—Creo que quiere que nos quedemos aquí —dijo Elena.

Esperaron mientras el lobo trepaba hasta la cresta. *Plata* se mantuvo agachado, echó un vistazo por encima y después volvió corriendo, con la lengua colgando y un brillo de triunfo en los ojos.

—Creo que *Trillón* está allí, nada más pasar la cresta —susurró Elena—. ¡Buen trabajo, *Plata*!

Tom y Elena desmontaron y gatearon hasta la cresta. Se encontraron con un ancho valle cubierto de bosque que se extendía a sus pies. En la parte más baja había un lago de aguas tranquilas que brillaban bajo la luz del sol.

La orilla estaba rodeada de abetos altos, pero consiguieron distinguir un claro. *Trillón* caminaba lentamente por la orilla. A Tom le entró una sensación de emoción. Sólo podía haber una razón por la que *Trillón* estaba allí: ¡los escarpes dorados! La Búsqueda estaba a punto de finalizar, aunque sabía que necesitaría armarse de todo su valor y astucia para vencer a la Fiera.

—Es enorme —murmuró Elena—. Tom, ¿cómo vamos a poder con él?

Tom frunció el ceño. Elena tenía razón; el monstruo era inmenso, su pelaje brillaba bajo el sol y sus ojos tenían un intenso color esmeralda.

—Seguro que tiene un punto débil —dijo Tom bajando la visera del yelmo para poder estudiar cada detalle del león gigante. Mientras Tom lo observaba, un pájaro pasó planeando cerca del agua y *Trillón* se lanzó hacia él, enseñándole

los dientes y dándole un zarpazo. El pájaro soltó un graznido de alarma y salió disparado. En ese momento Tom notó que la otra pata del león estuvo a punto de tocar el agua, pero la Fiera malvada la retiró inmediatamente con un gruñido, como si le diera miedo o no le gustara el agua.

—He oído que a los leones les da mie-

do el agua —dijo Tom—. No son buenos nadadores porque se les empapa la melena y se hunden.

—¡Y *Trillón* tiene tres melenas! —dijo Elena, emocionada—. Si conseguimos llevarlo hasta el lago, a lo mejor podremos vencerlo.

Tom observó al león mientras ideaba un plan.

—A *Tormenta* no le da miedo el agua —dijo—. Ya ha atravesado ríos llevándome sobre su lomo. Si lo enviamos a beber a la orilla del lago, seguro que el león irá a por él.

Elena se lo quedó mirando con una expresión de miedo en los ojos.

—¡No lo dirás en serio! —exclamó—. ¡*Trillón* podría matar a *Tormenta* de un bocado!

—Ya lo sé —admitió Tom—. Es peligroso, pero no se me ocurre otra manera de pillar a *Trillón* por sorpresa. —Volvió a mirar al caballo, que esperaba atento—. *Tormenta* es muy listo —dijo—. Cuando vea al león acercarse, saltará al agua y nadará para mantenerse a salvo. Nosotros esperaremos cerca. En cuanto el león llegue a la orilla del lago, tú le empiezas a disparar flechas. Yo le atacaré con la espada y con un poco de suerte, le obligaremos a meterse en el agua.

—¿Y si no tenemos suerte? —murmuró Elena.

—Entonces haré todo lo que esté en mi mano para que no hiera a *Tormenta* —prometió Tom.

—Tienes razón —dijo Elena—. No tenemos otra opción.

Encontraron un lugar bajo en la cresta y descendieron arrastrándose entre los árboles, en silencio. Tom llevaba a *Tormenta*, manteniéndolo cerca y frotando su cara en el cuello del caballo.

—Me gustaría no tener que exponerte a este peligro —le explicó al caballo negro.

Tormenta relinchó suavemente, casi como si supiera lo que Tom le iba a pedir que hiciera. Tom se preguntó si su padre desaparecido, Taladón *el Rápido*, habría tenido que tomar alguna vez una decisión tan difícil como aquélla.

Por fin llegaron hasta la zona de árboles que bordeaban la orilla del lago. El claro donde se encontraba *Trillón* quedaba a su izquierda. El león ya no estaba ahí, pero a Tom le pareció haber visto su pelaje marrón en el extremo más lejano del espacio abierto.

Tom le acarició el cuello a *Tormenta*.

—Vamos, muchacho —dijo—. Ve a beber.

Aunque sabía que *Tormenta* no podía entender sus palabras, añadió:

—En el momento en el que veas al león, métete en el agua y aléjate nadando todo lo rápido que puedas. Nosotros nos encargaremos del resto.

Tormenta le dio con el morro a Tom en el cuello.

A medida que el valiente caballo salía de su escondite entre los árboles y se acercaba a la orilla del lago, Tom sacó la espada y Elena puso una flecha en el arco.

—Creo que estamos demasiado lejos —dijo Tom—. Sígueme. —Llevó a Elena y a *Plata* a un lugar más cercano al centro del claro. Ahora estaban en una posición mucho mejor para atacar al león.

Tom miró entre los árboles, observando intensamente el último lugar donde había visto a *Trillón*. En ese momento no se veía ninguna señal de la Fiera, pero estaba convencido de que tenía que estar cerca. Su fuerte olor llenaba el aire.

Tormenta bajó la cabeza y empezó a beber. A Tom le latía el corazón con fuerza. No podía dejar que le pasara nada al caballo.

El león seguía sin aparecer. ¿Dónde se había metido *Trillón*?

—¡Oh, no! —exclamó Elena—. ¡Mira!

Tom se volvió al oír su voz y el corazón casi se le salió del pecho.

¡*Trillón* estaba en el otro lado del claro! Debía de haber rodeado el lago escondido entre los árboles ¡y ahora iba a atacar a *Tormenta* por detrás! La malvada Fiera salió silenciosamente entre los árboles, con el cuerpo pegado al suelo y los ojos fijos en el caballo negro de Tom.

Una sensación de pánico se apoderó del chico. *Tormenta* estaba demasiado lejos para que ellos llegaran a tiempo y no podía llamarlo porque si lo hacía, *Trillón* los descubriría.

El plan había salido tremendamente mal. El compañero leal de Tom tendría que pagar con su vida.

CAPÍTULO SEIS

PELIGRO DESESPERADO

Tom se puso de pie, pero Elena le tiró del brazo y lo hizo agacharse otra vez.

—Es demasiado tarde, ¡*Trillón* te va a ver! —murmuró—. Si te mantienes a cubierto entre los árboles, te puedes acercar por detrás y atacarle. En cuanto hagas el primer movimiento, yo empezaré a lanzar flechas.

Tom asintió.

—Buena idea —dijo. Pero tenían muy

poco tiempo. *Trillón* se acercaba peligrosamente a *Tormenta* y el caballo seguía sin oírlo.

Tom se deslizó silenciosamente por el borde del bosque hasta colocarse por detrás del León de tres cabezas. Veía las inmensas huellas del monstruo en la tierra blanda, cada una tan grande como su escudo. *Trillón* era sin lugar a dudas la Fiera más peligrosa a la que se había enfrentado. Pero Tom tenía que ser valiente. Dio un paso en el claro y a pesar de que llevaba la cota de malla, notó que le faltaba valor. Levantó el brazo para hacerle la señal a Elena de que empezara a lanzar flechas.

La primera flecha cayó en el hombro de la Fiera. *Trillón* lanzó un rugido aterrador con sus tres inmensas fauces y el ruido ensordecedor hizo que unos pájaros salieran volando al cielo. *Tormenta* levantó la cabeza y puso los ojos en blanco del miedo mientras retrocedía para alejarse de la inmensa Fiera. Sin embargo, en lugar de tirarse al lago y ponerse a salvo, *Tormenta* salió disparado hacia los árboles.

—¡No, *Tormenta*! —gritó Tom—. ¡Por ahí no!

Trillón era demasiado rápido para el caballo. Ignorando la flecha que tenía clavada en su grueso hombro, el león se lanzó hacia adelante, bloqueando la ruta de escape del caballo. Tom vio que su amigo retrocedía muerto de miedo y le salía espuma por la boca.

Tormenta giró sobre sus patas traseras y corrió hacia el lago, pero con tres grandes zancadas, *Trillón* se interpuso entre el caballo y el lago, con sus ojos brillando y las mandíbulas abiertas mientras rugía y daba zarpazos en el suelo. A Tom le dio la impresión de que la Fiera disfrutaba al torturar a *Tormenta*, como si le diera un placer especial matar al caballo de Tom.

Trillón levantó una garra, con las uñas extendidas, listo para lanzar un golpe asesino. Pero en ese momento, una segunda flecha salió volando desde el bosque. Le dio a *Trillón* en una pata trasera y le quedó colgando de la piel. Tom vio que Elena salía de los árboles, poniendo la siguiente flecha en el arco. El león lanzó otro rugido de rabia. Elena volvió a disparar y le dio en una de las melenas. Después lanzó una flecha tras otra, pero no parecían hacerle mucho daño. Tom se dio cuenta de que el pelaje del león era demasiado grueso para que las flechas penetraran.

Tormenta estaba paralizado por el miedo y no se movía. Tom sabía que en cuanto el caballo saliera corriendo, *Trillón* lo alcanzaría.

Tenía que actuar rápidamente. Había

llegado el momento de salir de su escondite para rescatar a *Tormenta* y vencer a *Trillón*.

Otra flecha salió volando entre los árboles, pero esta vez tenía llamas en la punta. Elena le debía de haber atado hierba seca y le había prendido fuego con el pedernal y la yesca.

—¡Genial! —susurró Tom para sí mismo—. ¡Buena idea, Elena!

La flecha se clavó en una de las patas

delanteras de *Trillón* y las llamas prendieron el pelo, quemándole la piel. *Trillón* soltó un rugido de dolor, retorciéndose y dando vueltas para intentar apagar el fuego.

Tom corrió hacia adelante y llegó rápidamente al claro que había entre él y *Tormenta*, con la pernera dorada de su armadura dándole la velocidad extra que necesitaba. ¡Ya casi había llegado! *Trillón* se estaba arrancando la flecha con los dientes, ignorando las llamas, pero se quedó quieto al ver que Tom cogía las riendas de cuero del caballo.

Trillón lanzó otro rugido ensordecedor con sus tres bocas. *Tormenta* salió disparado hacia el agua, con Tom agarrado a sus riendas. La armadura dorada traqueteaba mientras el chico salía arrastrado y la espada se le cayó de la mano.

Tom se soltó una vez que *Tormenta* consiguió meterse en el lago. El agua le

cubrió la cabeza y se le metió por la boca. ¡El peso de la armadura dorada lo estaba hundiendo!

Tom empezó a patalear desesperadamente hasta que consiguió salir a la superficie, tosiendo y escupiendo. Si no hubiera sido por el diente que le había dado *Sepron*, la Serpiente marina, y que ahora llevaba en el escudo, se habría ahogado.

Trillón se había acercado a la orilla del lago. No se atrevía a meterse en el agua, pero estiró una pata hacia donde estaban Tom y su caballo. Sus poderosas garras se engancharon a la silla de *Tormenta*. Con un movimiento rápido, sacó al caballo del agua y lo envió rodando por el suelo, con las patas moviéndose en el aire.

Del bosque salieron más flechas, pero no servían de gran ayuda. ¡Tom tenía que volver hasta donde estaba el caballo! Nadó hacia la costa, moviendo con fuerza las piernas para mantenerse a flote. Se sujetó a unas cañas y consiguió alcanzar tierra firme. Con mucho esfuerzo, logró ponerse en pie y salió corriendo hacia *Tormenta*, pero era demasiado tarde. *Trillón* pegó un salto hacia el caballo. La luz del sol se reflejó en sus garras.

Entonces, Tom se quedó sorprendido al ver que algo más se reflejaba bajo la luz del sol: ¡los escarpes dorados! Estaban en el suelo, medio escondidos entre la alta hierba, cerca del caballo.

Mientras *Trillón* se lanzaba hacia su víctima, Tom se dio cuenta de que la Fiera iba a aplastar al caballo y los escarpes.

Después de todos los esfuerzos y peligros que había corrido en su Búsqueda, ¿iba a ser incapaz de recuperar todas las piezas de la armadura dorada?

CAPÍTULO SIETE

EL ALIENTO DEL LEÓN

En el último segundo, *Tormenta* consiguió esquivar las garras de *Trillón*. Con los cascos les pegó una patada a los escarpes dorados, que hicieron un ruido metálico y salieron rodando lejos del peligro. El enorme león cayó contra el suelo, rodando sin parar. *Tormenta* consiguió recuperarse y salir corriendo hacia Tom, relinchando con fuerza.

—¡Bien hecho, muchacho! —gritó Tom—. ¡Muy bien!

Chorreaba agua de su armadura. Tom se agachó para recoger la espada. Ahora ya tenía cerca a *Tormenta*, que se movía a gran velocidad. Con el poder que le daba la pernera de la armadura, Tom corrió junto a su caballo, siguiendo su paso con facilidad. Se agarró a las riendas y se subió a la silla a galope gracias a la fuerza que le daba el peto dorado.

—¡Hacia Elena! —gritó.

Tormenta dio un quiebro y se dirigió hacia atrás, relinchando con fuerza. Un momento más tarde iba al galope tendido hacia el refugio de los árboles donde los esperaban Elena y *Plata*.

Pero *Trillón* volvía a estar en pie y rugía sin parar. Tom miró por encima del hombro y vio un brillo letal en los salvajes ojos verdes del león. La malvada Fiera estaba lista para matar.

Tom iba a lomos de *Tormenta* y éste galopaba desenfrenadamente entre los árboles.

—¡Vamos! —gritó—. ¡Más rápido, *Tormenta*!

De pronto el león se encontraba peligrosamente cerca y Tom podía sentir su aliento caliente y pútrido en el cuello. Las mandíbulas de la Fiera se abrían y cerraban mientras *Tormenta* hacía quiebros, dándoles unos segundos muy valiosos hasta que el león cambiaba de dirección y seguía detrás de ellos, lo que significaba que una vez más se alejaban de los árboles.

Tormenta hizo otro cambio de dirección repentino, pero esta vez *Trillón* estaba listo y sus garras dieron un zarpazo en el aire que casi tiró a Tom de la montura. Una de sus grandes cabezas le pasó muy cerca, con la boca abierta y enseñando los dientes.

Tom clavaba los talones y gritaba.

—¡Sigue, *Tormenta*! ¡No te rindas! —Pero su talón dio en el aire y los colmillos de *Trillón* le engancharon el tobillo.

Tom soltó un grito de dolor mientras los dientes le apretaban con fuerza y *Trillón* le intentaba descabalgar de *Tormenta*. El muchacho blandió su espada hacia la Fiera, pero necesitaba toda su energía para mantenerse en la silla, y la espada se movió en el aire. Antes de que pudiera prepararse para atacar de nuevo, *Trillón* le apretó los dientes con más fuerza en la pierna y agitó a Tom violentamente. Tom soltó los dedos de las riendas y cayó dando un grito.

Aterrizó con un gran golpe en el suelo y afortunadamente la armadura impidió que se rompiera los huesos. Soltó la espada y el escudo, pero, en una racha de buena suerte, consiguió salir rodando, haciendo ruido con la armadura. ¡Por fin había logrado sacar la pierna de la mandíbula de *Trillón*!

El dolor que sentía en el tobillo era muy intenso. Intentó ponerse de pie, pero la pierna no le sujetaba y cayó sin aliento al suelo. Podía ver a Elena y a *Plata* que corrían hacia él entre los árboles.

—¡No! —gritó—. ¡Volved! —Vio que su espada y su escudo estaban bastante cerca y, desesperadamente, empezó a arrastrarse hacia ellos.

Estaba a punto de tocar con la punta de los dedos la empuñadura de la espada cuando un cuerpo inmenso se acercó a toda velocidad. Dos patas enormes se pusieron encima de la espada y el escudo. Tom miró hacia arriba. Las tres cabezas de *Trillón* se echaron hacia atrás listas para atacar y sus seis ojos lo miraron con furia. Una oleada de su aliento fétido casi dejó a Tom sin respiración a medida que las cabezas se acercaban y las mandíbulas chorreaban saliva, listas para despedazarlo.

¡La Búsqueda había fracasado!

CAPÍTULO OCHO

LA BUENA FIERA

Con un rugido, *Trillón* le puso una pata encima y apretó con fuerza en el peto de Tom. El chico se quedó sin aliento a causa del peso del león que lo presionaba contra el suelo.

¡Pero la armadura dorada aguantó la carga!

Las tres cabezas se acercaron y una de las patas le dio un zarpazo a Tom en la cara. El yelmo lo salvó de una herida mortal, pero llevaba la visera levantada y las puntas de las uñas del monstruo le rasgaron la piel de las mejillas, haciéndole sangre.

La cabeza del medio se acercó más, con la mandíbula abierta.

Entonces Tom oyó el sonido de unos cascos al galope. ¡Su caballo acudía en su ayuda! Pero Tom sabía que *Tormenta* nunca conseguiría vencer a *Trillón*.

—¡Vuelve! —gritó Tom.

Un rugido de furia le contestó.

Tom se volvió, todavía inmovilizado en el suelo por la Fiera malvada y, para su sorpresa, vio que no se trataba de *Tormenta*.

¡Era *Tagus*!

El Hombre caballo se acercaba al galope por el claro, blandiendo la espada mientras arremetía contra el León de tres cabezas.

Tagus se lanzó contra *Trillón* como si fuera una avalancha, dando coces, emi-

tiendo aullidos de guerra y golpeándolo
con la espada.

Tom intentaba recuperar el aliento y
consiguió salir rodando y alejarse de las
dos Fieras. *Trillón* rugía de dolor y de
rabia mientras se levantaba y le daba

zarpazos con sus afiladas garras al Hombre caballo. Pero *Tagus* consiguió esquivarlo todas las veces, lo levantó sobre sus patas traseras y le dio una doble coz que tiró a *Trillón* hacia atrás.

Tagus lo siguió. Se acercó moviendo la espada atrás y adelante mientras la Fiera de tres cabezas se retiraba para evitar el afilado acero.

En ese momento Tom se dio cuenta

de lo que estaba tratando de hacer *Tagus*.
Le gritó a Elena:

—¡Está llevando a *Trillón* al lago! ¡Tenemos que ayudarle!

Tom se puso en pie, ignorando el dolor del tobillo mientras se tambaleaba para coger su espada. Avanzó cojeando, listo para unirse a la batalla junto a *Tagus*. Blandió la espada y le dio al león en las patas delanteras para que

se acercara cada vez más a la orilla del
lago.

—¡Ya voy! —oyó Tom gritar a Elena.

Con el rabillo del ojo vio que *Tormenta*
se acercaba galopando con Elena en su
lomo y *Plata* corriendo a su lado. Elena
se echó hacia adelante en la silla, cogió

el escudo de Tom y se lo lanzó cuando *Tormenta* pasaba a su lado.

—¡Gracias! —Tom cogió el escudo agradecido, pero el dolor que sentía en el tobillo era tan intenso que apenas se podía mantener de pie—. ¡No pienso rendirme! —dijo casi sin aliento, moviendo la espada y cortando al león, mientras se protegía con el escudo de las peligrosas garras de la Fiera—. ¡Mientras corra sangre por mis venas, seguiré luchando!

Entonces gritó a Elena, intentando que su voz se oyera por encima del ruido que hacían las Fieras al luchar:

—¡Manteneos atrás todos! ¡No dejes que *Tormenta* se acerque demasiado! —No pensaba poner en peligro a su caballo por segunda vez. Además quería que Elena y *Tormenta* hicieran algo realmente importante—. ¡He visto los escarpes! —gritó Tom—. ¡Están ahí en la hierba!

—¡Ya los veo! —contestó Elena—. ¡En seguida los cogemos!

Tom sintió una oleada de esperanza, pero al distraerse, recibió un zarpazo que lo tiró al suelo. Movió la cabeza y se intentó poner en pie, pero la caída había empeorado la lesión de su tobillo y ahora ya no podía poner peso en esa pierna.

—¡Estás herido! —gritó Elena—. ¡Voy en tu ayuda!

—¡No! —exclamó Tom levantando la voz por encima de los rugidos de las Fieras—. Estoy bien y no pienso abandonar a *Tagus*. ¡Recupera los escarpes!

Elena dudó. Después tiró de las riendas de *Tormenta* haciéndolo girar. Con *Plata* corriendo a su lado, salió al galope hacia las botas.

Tom volvió a concentrarse en su lucha desesperada. Esperaba poder soportar el dolor que sentía en el tobillo el tiempo suficiente como para vencer al león, pero con cada paso que daban hacia el lago, *Trillón* luchaba con más fuerza y *Tagus* empezaba a cansarse.

De pronto, a Tom ya no le aguantó más la pierna y cayó de rodillas. Tenía que ser más valiente que nunca. Miró a *Trillón* y vio que le lanzaba otro zarpazo letal a *Tagus*. «¡Ya basta!» Tom puso la mano en la cota de malla para tener más fuerza. Lentamente consiguió volver a ponerse en pie, apretando los dientes mientras intentaba ignorar el dolor. Por fin consiguió incorporarse del todo y levantó la espada en el aire.

Estaba listo para poner fin a la batalla con *Trillón*.

CAPÍTULO NUEVE

NO HAY VICTORIA

Las dos Fieras seguían luchando furiosamente. El lago estaba ya muy cerca, pero conseguir que el león diera esos últimos pasos le iba a costar a Tom toda la energía y el valor que poseía.

—¡Ya voy! —gritó el muchacho mientras avanzaba. Sabía muy bien que se enfrentaba a la Fiera más malvada y peligrosa de las que se había encontrado hasta entonces.

Tagus rugía mientras golpeaba con la

espada al león una y otra vez; aun así, el filo no era capaz de atravesar su grueso pelaje. Tom sabía que con cada golpe que daba, el Hombre caballo perdía fuerza, y los colmillos de las tres bocas rabiosas parecían cada vez más afilados y peligrosos.

¡Era ahora o nunca! Tom se lanzó hacia el león y lo atacó por detrás, entre las tres cabezas, apuntando a su inmenso cuerpo. Cogió la espada con ambas manos y se tiró hacia adelante.

La hoja atravesó el pelaje y se clavó en su carne. Una de las cabezas se giró rabiosa y Tom se tiró al suelo para esquivar un zarpazo, que le pasó por encima de la cabeza. Su golpe no sólo no había herido al león, sino que lo había enfurecido aún más.

«¿Qué tipo de Fiera es ésta?», pensó Tom. Nada parecía hacerle daño. ¿Cómo lo iban a vencer?

Una de las inmensas patas le golpeó con fuerza en la cabeza. Tom salió rodando, aturdido y mareado. *Tagus* rugía y gruñía mientras intentaba vencer al león.

Entonces Tom vio una figura por encima de él. Parpadeó, intentando enfocar la vista. Era *Tormenta*. Elena iba en la montura y *Plata* corría a su lado. Elena llevaba algo que brillaba bajo la luz del sol.

¡Los escarpes dorados!

Tom se sentó, la cabeza todavía le daba vueltas.

Elena saltó desde la silla sujetando los escarpes.

—¡Póntelos! —dijo.

Tom se estiró para cogerlos, sin embargo estaba demasiado mareado y apenas podía ver.

—Necesito que me los pongas en los pies —dijo a duras penas—. ¡Rápido! ¡*Tagus* no puede resistir mucho más!

Elena se arrodilló y le puso a Tom los escarpes en los pies, con mucho cuidado de no hacerle más daño en el tobillo.

Tom se sentó, jadeando y mareado, y esperó alguna señal de que los escarpes le hicieran algún efecto.

—¿Cómo te sientes? —preguntó Elena ansiosamente—. ¿Te puedes levantar?

—No —contestó Tom. ¿Por qué no lo estaban ayudando? ¿Es que iba a fracasar en su Búsqueda en el último momento?

Entonces, empezó a notar un cosquilleo por todo el cuerpo que le daba una sensación de fuerza y poder que parecía subirle por las venas. El dolor del tobillo fue desapareciendo y de pronto se sintió totalmente despejado.

Se puso inmediatamente en pie. Sentía como si pudiera saltar por encima de las copas de los árboles. ¡Era el poder de los escarpes dorados! Cogió la espada y el escudo y salió corriendo hacia las Fieras, que seguían luchando. Había llegado el fin de *Trillón*. Ahora nada podría salvar al león.

Tom levantó la espada, listo para asestarle el último golpe. Sin embargo, cuando estaba a tan sólo unos pasos de *Trillón*, notó que una fuerza invisible lo detenía. Retrocedió y volvió a intentarlo. Una vez más, la muralla invisible lo detuvo.

¿Qué estaba pasando?

Un remolino negro se formó cerca de la orilla del lago. El aire silbaba con el viento, la oscuridad desapareció y, de pronto, la figura de Malvel apareció de pie cerca del lago.

¡El Brujo Oscuro estaba impidiendo que Tom se acercara al monstruo! Tom empezó a blandir la espada contra la pared invisible, pero era incapaz de penetrarla.

—Te lo advierto, muchacho, si vences te arrepentirás —amenazó Malvel—.

Haré que vayas a parar a lugares que nunca hubieras querido visitar.

Tom notaba la fuerza de Avantia dentro de él.

—¡No me importa! —gritó dándole golpes a la pared—. Pienso vencerte, Malvel, ¡cueste lo que cueste!

—¡Qué arrogancia para alguien tan joven! —gritó Malvel.

Hizo un gesto con el brazo y de pronto apareció la imagen de Aduro. Tom se quedó sin aliento. El brujo bueno estaba tirado en el suelo, magullado y sangrando. Detrás de la barrera invisible de Malvel, *Tagus* y *Trillón* seguían luchando con fuerza. *Plata* se lanzaba contra la barrera, aullando de frustración y de rabia. Elena lanzaba flechas desde el lomo de *Tormenta*, pero rebotaban inútilmente en la fuerza mágica.

—¡Te lo advierto por última vez! —gritó Malvel—. Si vences a *Trillón*, te lo haré pagar de maneras que no puedes ni imaginarte.

Tom dejó caer el brazo en el que llevaba la espada y se quedó mirando fijamente la imagen de su buen amigo. Aduro era un mago poderoso y Malvel lo había derrotado. ¿Cómo pretendía él enfrentarse a una fuerza tan malvada y poderosa?

CAPÍTULO DIEZ

LA PUERTA DEL LEÓN

Trillón lanzó un rugido triunfante que desvió la atención de Tom del Brujo Oscuro. *Tagus* retrocedía, le estaban fallando las fuerzas. El gran león le estaba venciendo. La batalla pronto estaría perdida.

—¡Recuerda mis palabras! —se burló la voz de Malvel.

—¡Lo haré! —gritó Tom desafiante—. ¡Pero no me detendrán!

Su espada no podía atravesar la pared invisible, pero notaba que su cuerpo se llenaba de una nueva energía con el poder que le daban los escarpes dorados. ¿Podría destruir la barrera mágica con los escarpes?

Echó un pie hacia atrás y después pegó una gran patada. Hubo un ruido muy fuerte que sonó como si el cielo se estuviera rompiendo. Malvel soltó un rugido de rabia. ¡La barrera invisible había desaparecido!

Tom corrió hacia el león, pero de pronto se le cayeron el escudo y la espada de las manos. ¡Malvel no iba a dejar que nada lo detuviera!

—¡Tom, no! ¡Vuelve! —gritó Elena—. ¡Te va a matar!

—No necesito armas —gritó Tom. La nueva energía hacía que le temblara todo el cuerpo—. ¡La armadura me da toda la fuerza que necesito!

Tagus estaba en el suelo y seguía blandiendo la espada mientras la Fiera malvada se le echaba encima. Tom dio un salto hacia el león y lo cogió por una de sus melenas. Le clavó los talones en los hombros y tiró hacia atrás.

Trillón cayó hacia un lado, sorprendido por el ataque de Tom, pero rápidamente giró la cabeza y abrió la mandíbula. Impávido, el chico metió el brazo en la boca del león. ¡La armadura dorada lo protegía! Tom vio que los dientes del león se rompían en mil pedazos.

Con un rugido de agonía, la cabeza se echó hacia atrás. Al león le salía sangre por los labios y se sentó sobre sus patas traseras. Las tres cabezas se alejaron de Tom, sus seis ojos verdes tenían una expresión de dolor y una de las inmensas patas de *Trillón* se echó hacia adelante sin sacar las uñas. Una vez más, rugió y en sus ojos apareció un brillo asesino. Retrocedió y se preparó para tirar todo su peso encima de Tom y aplastarlo contra el suelo.

Pero justo cuando *Trillón* se levantaba sobre sus patas traseras, Tom vio la oportunidad que estaba buscando. En lugar de alejarse de la Fiera, se echó hacia adelante con los brazos por encima de la ca-

beza, empujando al león por la barriga. La armadura le daba tanta fuerza que fue capaz de empujar al león hacia atrás.

—¡Ahora soy más fuerte que tú! —gritó Tom—. ¡Has perdido!

Trillón cayó de espaldas, rugiendo y gruñendo, con las patas hacia arriba y los dientes mordiendo el aire. Tom volvió a empujarlo y lo acercó cada vez más al lago. Nunca había tenido tal determinación.

La malvada Fiera se dio cuenta de lo que estaba pasando, pero era demasiado tarde. Intentó apartarse para no caer al agua, pero Tom no estaba dispuesto a dejarlo. Con un último esfuerzo, mandó al león al agua de un empujón.

El agua se llenó de espuma mientras la Fiera forcejeaba inútilmente. Cuanto más luchaba, más se hundía, con su pelaje empapado y sus grandes melenas hundiéndolo cada vez más.

Tom se quedó de pie al borde del lago,
incapaz de apartar la vista de la espan-
tosa imagen del león luchando por
mantenerse a flote. Sus seis ojos verdes
estaban llenos de terror y de rabia mientras el agua cubría sus tres cabezas. Una
pata salió durante un momento a la superficie y después ya no se lo volvió a

ver. Emergieron unas burbujas y se hizo un extraño silencio. El rugido del León de tres cabezas había sido silenciado para siempre.

Elena se acercó a Tom y le puso la mano en el hombro.

—Lo has conseguido —dijo en voz baja—. Has derrotado a la Fiera más peligrosa que Malvel te ha enviado.

Tom frunció el ceño. Todas las Fieras malvadas que había vencido durante su Búsqueda de la armadura dorada se convertían en pequeñas versiones de sí mismas una vez que eran derrotadas. Esperaba que sucediera lo mismo con *Trillón*, pero la superficie del lago estaba en calma. Miró a Elena.

—No han aparecido pequeños leones —dijo—. ¿Por qué crees que es?

—No lo sé —dijo Elena—. A lo mejor…

Sus palabras fueron interrumpidas

por un estruendo que hizo temblar la tierra bajo sus pies. La superficie del lago empezó a temblar. Aparecieron unas olas en el lugar donde se había visto a *Trillón* por última vez. El agua se agitaba y un rugido profundo hizo temblar el aire.

Entonces se abrieron las aguas y una inmensa figura salió majestuosamente del lago. Era negra como el marfil, le caía el agua y brillaba bajo la luz del sol. Se alzó ante los dos amigos, enviando ríos de agua a los lados.

Frente a ellos se alzaba la estatua gigante de la cabeza de un león con la boca muy abierta. Entre la estatua y la orilla se formó un camino elevado hacia el interior de la estatua que se adentraba entre los inmensos dientes.

—Es un pasadizo —murmuró Tom admirado.

—¿Adónde irá? —se preguntó Elena.

—No lo sé —contestó Tom—, pero tenemos que seguirlo. Algo me empuja
hacia allí.

—Podría ser peligroso —avisó Elena—. A lo mejor lo ha creado Malvel.

Tom miró hacia atrás. El Brujo Oscuro había desaparecido.

—No importa —dijo. Sacó su brújula mágica del bolsillo y la puso por delante. Se la había dejado su padre, Taladón, y ya le había salvado la vida una vez. La aguja señalaba la palabra «destino».

Una sensación de seguridad inundó a Tom.

—Sé que Malvel se ha ido —dijo. Señaló a la boca abierta—. Está más allá del pasadizo y creo que Aduro también está ahí. —Miró a Elena—. Tengo que ir.

—Querrás decir que tenemos que ir —lo corrigió Elena.

Tom se volvió y vio que *Tormenta* y *Plata* estaban justo detrás de ellos. No era la primera vez que se sentía afortunado de tener unos amigos tan leales.

Tom cogió las riendas de *Tormenta* y se dirigió hacia el pasadizo, llevando a su valiente caballo detrás. Elena se acercó hasta Tom mientras acariciaba el pelaje plateado de *Plata*, que iba a su lado.

El aire brillaba alrededor de las mandíbulas de la estatua. Tom notó un cosquilleo en la piel y se le puso la carne de gallina. Los cuatro amigos se detuvieron delante de la boca del león. La armadura de Tom brillaba bajo la luz del sol.

Tom y Elena intercambiaron una mirada.

—¿Lista?

—Lista —le aseguró Elena.

Entonces los cuatro amigos se adentraron por la puerta del león, siguiendo el camino que los llevaría a su siguiente aventura.

Tom tenía que enfrentarse a su destino. La Búsqueda de Fieras no había llegado a su fin.

Enfréntate a las Fieras.
Vence a la Magia.

www.buscafieras.es

¡Entra en la web de *Buscafieras*!

Encontrarás información sobre cada uno de los libros, promociones, animación y las últimas novedades sobre esta colección.

Fíjate bien en los cromos coleccionables que regalamos en cada entrega. Cada uno de ellos tiene un código secreto en el reverso que te permitirá tener acceso a contenidos exclusivos dentro de la página web de *Buscafieras*.

Hay cincuenta y dos cromos en total.
¡Atrévete a coleccionarlos todos!

¡Consigue la camiseta exclusiva de BUSCAFIERAS!

Sólo tienes que rellenar **4 formularios** como los que encontrarás al pie de esta página, de **4 títulos distintos** de la colección Buscafieras. Envíanoslos a EDITORIAL PLANETA, S. A., Área Infantil y Juvenil, Departamento de Marketing (BUSCAFIERAS), Avda. Diagonal, 662-664, 6.ª planta, 08034 Barcelona.

Promoción válida para las 1.000 primeras cartas recibidas.

Nombre del niño/niña: ....

Dirección: ....

Población: .... Código postal: ....

Teléfono: .... E-mail: ....

Nombre del padre/madre/tutor: ....

☐ Autorizo a mi hijo/hija a participar en esta promoción.

☐ Autorizo a Editorial Planeta, S. A. a enviar información sobre sus libros y/o promociones.

Firma del padre/madre/tutor:

BUSCAFIERAS Nº 12 PRUEBA DE COMPRA